En bok för alla
ger ut skönlitteratur för barn och vuxna
i läsfrämjande syfte. Böckerna väljs ut i samråd med
en referensgrupp bestående av kritiker, författare
och bibliotekarier.

En bok för alla
info@ebfa.se www.ebfa.se

Grafisk form inlaga Linda Pelenius
Tryck Livonia, Lettland 2013
ISBN 978-91-7221-665-5

Berghs förlag utgav den första utgåvan av *Sov gott* 2010.

Thérèse Bringholm Inger Scharis
BILD Lena Forsman

En bok för alla
STOCKHOLM

SNAAARK!

Vem sitter där uppe och snarkar?

Koalabjörnen sover nästan jämt. Hon älskar att sitta högt uppe i ett träd och slumra. Skulle du kunna sova på en gren utan att ramla ner?

VISSTE DU ATT
koalabjörnar bor i Australien
och äter eukalyptusblad.

Men sova upp och ner – går det?

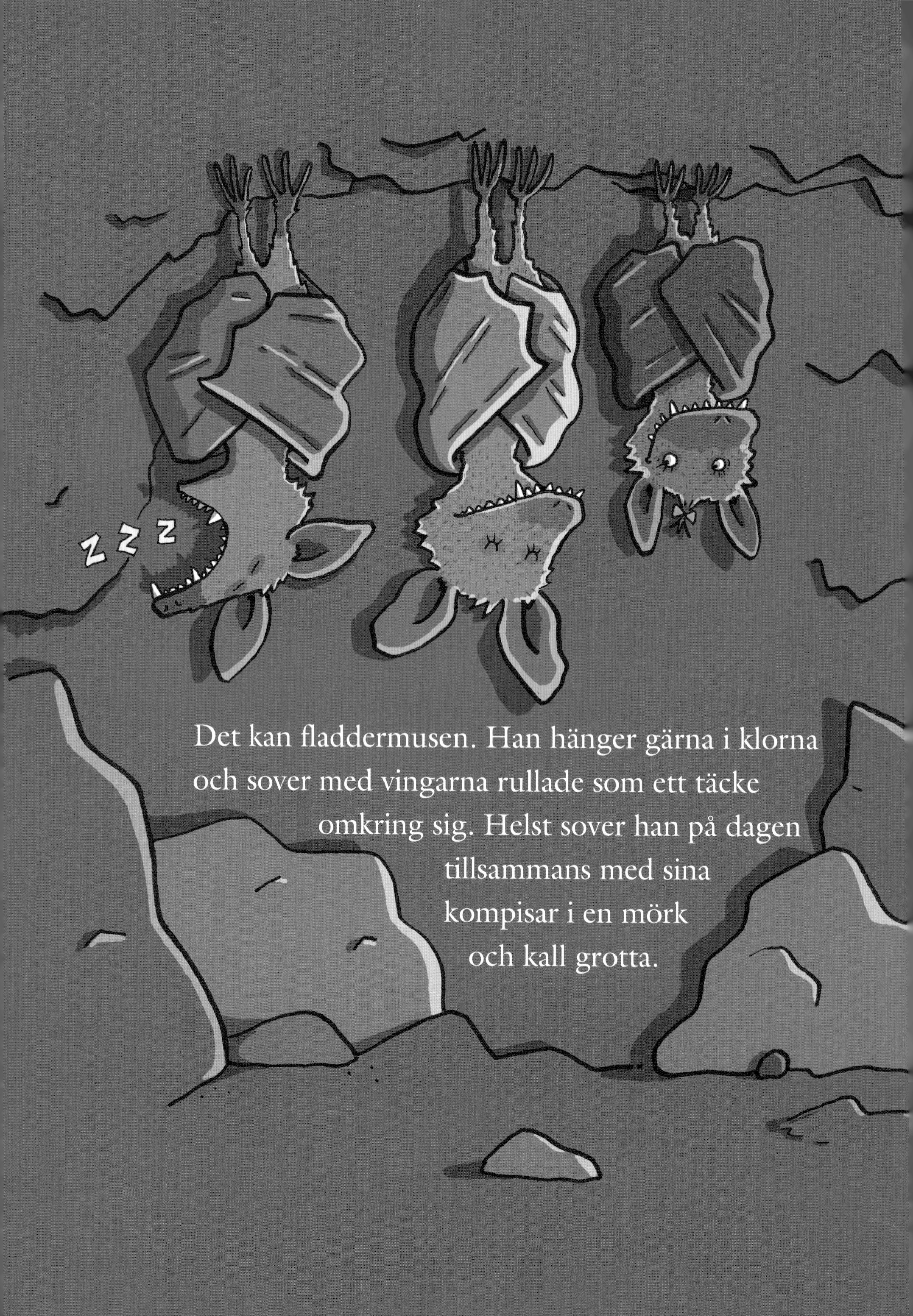

Det kan fladdermusen. Han hänger gärna i klorna och sover med vingarna rullade som ett täcke omkring sig. Helst sover han på dagen tillsammans med sina kompisar i en mörk och kall grotta.

PSSST!
På natten vaknar de och flyger ut och letar efter mat.

Men ingen kan väl stå och sova?

VISSTE DU ATT
hästens hov egentligen
är en jättestor tånagel.

Jodå, hästen står och sover utan problem. Hennes ben låser sig och gör att hon inte ramlar omkull. Men vill hon drömma måste hon lägga sig ner.
Vad tror du att hästar drömmer om?

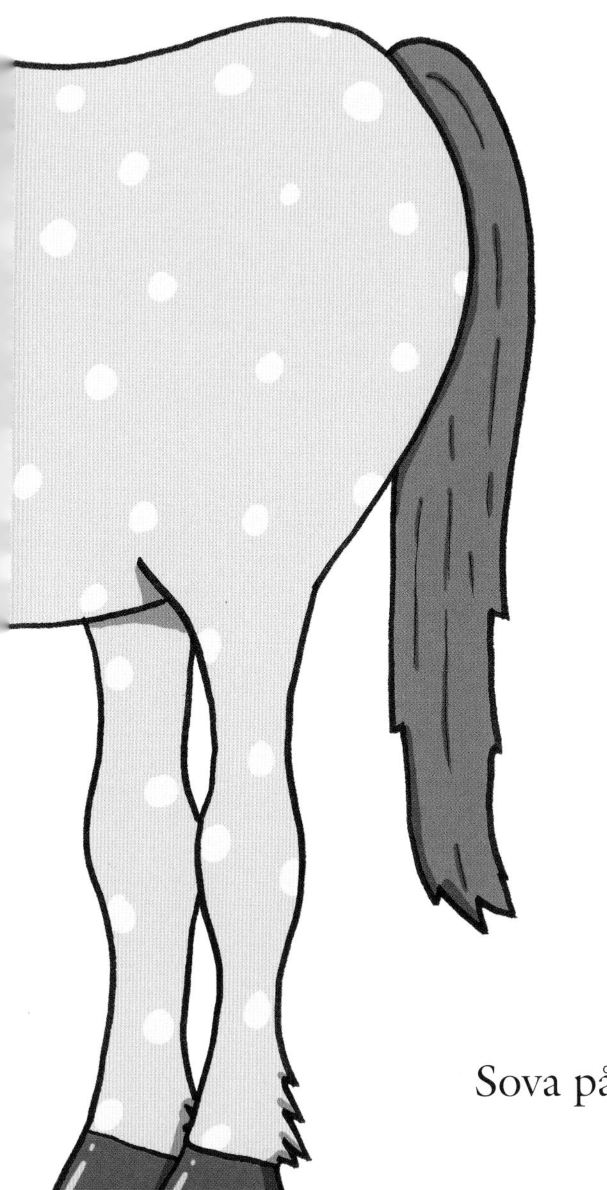

Sova på ett ben – går det?

Jadå, flamingon gör det för att det hjälper honom att hålla värmen. Och för att ett ben i taget ska få vila.

VISSTE DU ATT
flamingon får sin rosa färg från färgämnen som finns i de små kräftorna som den äter.

Kan du sova med öppna ögon?

Det kan ormen. Hon har inget val för hon har inga ögonlock att blunda med.

PSSST!
Ormar är köttätare, vissa är kannibaler.
Det betyder att de ibland äter andra ormar.

Men sova flera månader i sträck – vem gör det?

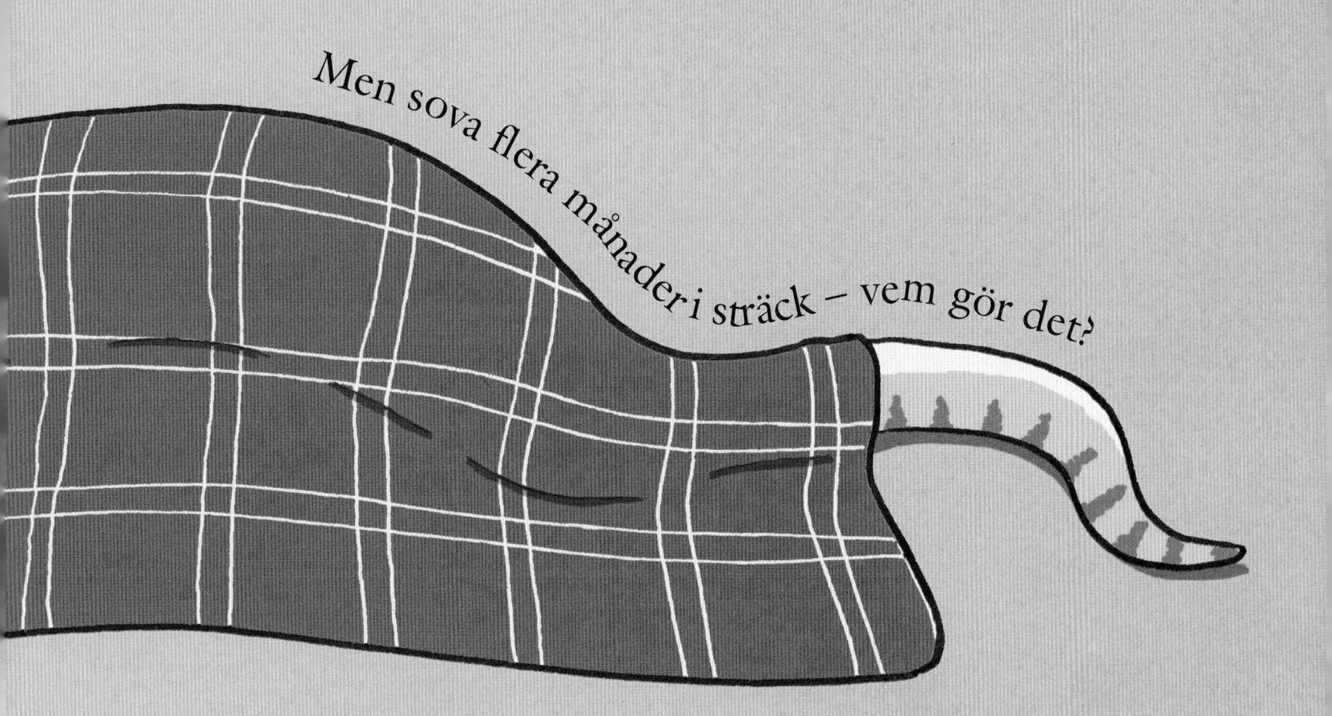

Igelkotten rullar ihop sig till en liten boll och sover hela vintern i en hög med kvistar och löv. Under tiden varken äter, dricker, bajsar eller kissar han. Skulle du kunna sova så länge?

Igelkotten är en riktig sjusovare.
Men vilket djur sover minst av alla då?

Giraffen är piggast av alla däggdjur. En del sover bara 20 minuter på ett helt dygn.

Vilka ligger här och knoppar?

Flodhästarna! De älskar att ligga och sova på flodbotten. Då och då flyter de upp till ytan och tar luft för att sedan sjunka ner igen. Pappa flodhäst kan snarka så det hörs över hela floden.

Sova i lera går väl ändå inte?

Paddan vintersover nedbäddad i gegga. När hon kommer fram på våren så kan hon vara hopskrumpen som en liten mumie. Men efter en stund blir hon som vanligt igen.

VISSTE DU ATT paddor kan andas både med lungor och direkt genom huden.

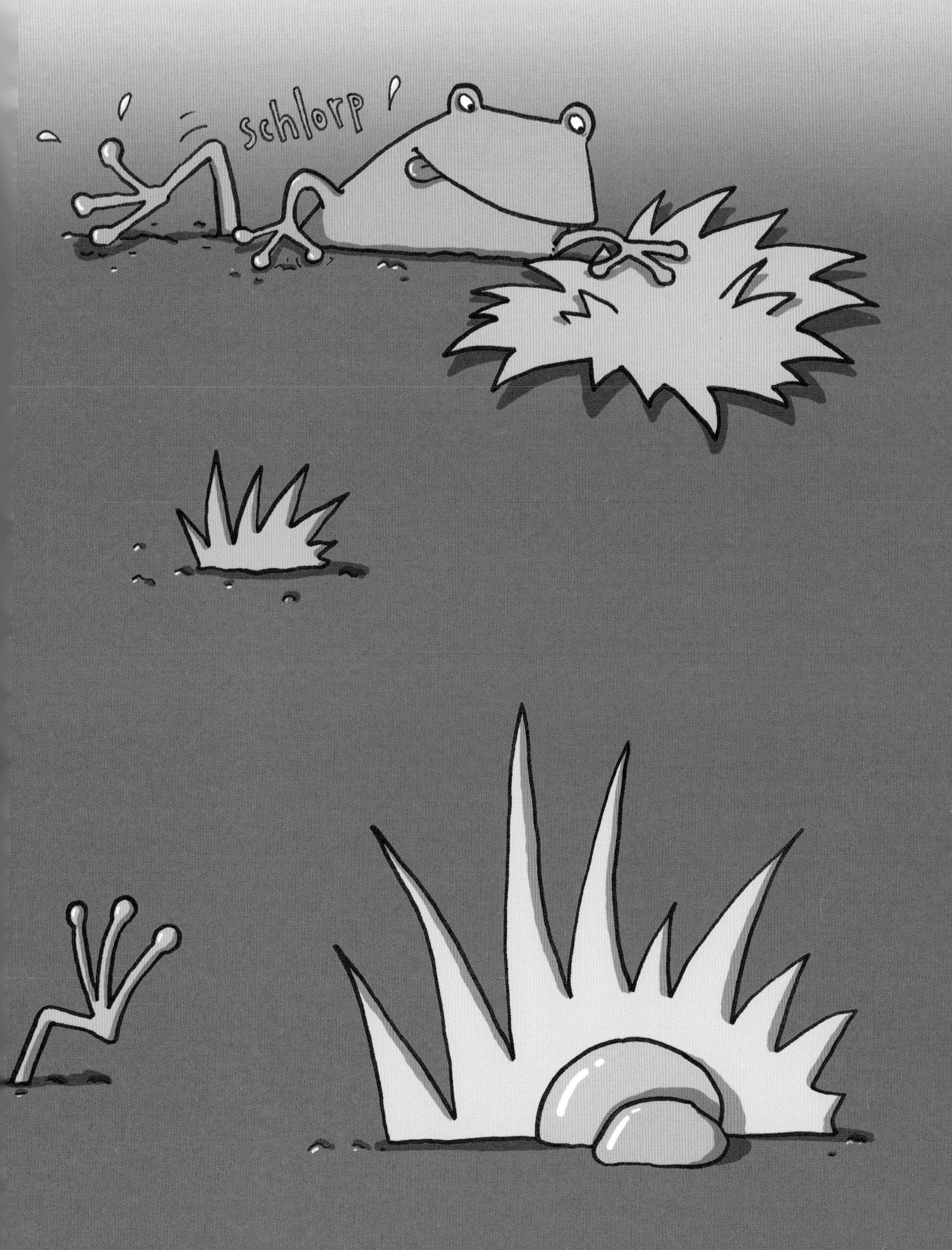

Men ingen kan väl simma och sova samtidigt?

Jodå, tigerhajen måste hålla sig i rörelse för att gälarna ska fungera. Därför simmar hon till och med i sömnen.

Men det finns väl ingen som kan sova och flyga samtidigt?

Jo, det kan tornseglaren.
Han flyger större delen
av sitt liv och både sover,
äter och parar sig i luften.

VISSTE DU ATT
tornseglaren är en flyttfågel som flyger till Afrika på vintern.

Låt gå för att sova i luften.
Men ingen kan väl gå och sova på samma gång?

Det kan Julia.
En natt gick hon i sömnen ...

z
z

... och kissade i mammas skor.
Vilken sömntuta!